Bijoux de perles
pour nous les filles

Patricia Ducerf

Dessain et Tolra

Remerciements

Merci à Tout à Loisirs qui a gracieusement fourni les perles et le matériel utilisé
pour la réalisation des bijoux de ce livre.
Tout à Loisirs
50 rue des Archives
75004 PARIS
Tél.: 01 48 87 08 87

Merci aussi à la mercerie Bouveret pour les rubans et certaines perles fantaisies.
Mercerie Bouveret
24 rue Beaurepaire
77120 Coulommiers
Tél.: 08 75 01 51 27

Toutes les créations de ce livre sont de Patricia Ducerf et ne peuvent en aucun cas être reproduites
à des fins d'exposition et de vente sans son autorisation.

© Dessain et Tolra / Larousse 2006
Dépôt légal : janvier 2006
ISBN : 2-295-00063-7

Direction éditoriale : Meriem Varone
Coordination éditoriale : Valérie Gendreau
Édition : Sylvie Hano
Relecture : Édith Zha
Conception de la maquette : Nicolas Piroux
Mise en pages et dessins : Nicolas Piroux
Photographies : Francis Waldman et Olivier Ploton pour les p. 4-5
Stylisme : Lélia Deshayes
Couverture : Agnès Frégé - Véronique Laporte
Fabrication : Anne Raynaud
Photogravure : Arts Graphiques du Centre

Sommaire

Très facile Facile Minutieux

Le matériel

Les perles

Toutes les perles utilisées dans ce livre sont en verre, donc d'un prix très raisonnable. Tu les trouveras dans les grandes surfaces, les magasins spécialisés et les merceries. Tu peux aussi faire tes bijoux avec des perles en plastique, mais ils seront moins éclatants.

Les rocailles

Ce sont les plus petites perles (de 1 à 3 mm). De multiples couleurs, elles existent en finition mate, métallisée, transparente, nacrée ou diamantée. Elles peuvent avoir trois formes : les rondes, les bâtons (long tube) et les microtubes (petit rectangle).

Les facettes

De forme légèrement ovale, facettées, elles sont en verre de Bohême (lieu de leur fabrication). Pour les créations proposées dans ce livre, il te faudra des facettes de 3, 4 et 6 mm. Les facettes existent dans plus de 60 coloris dont certaines en AB (avec des reflets irisés).

Les gouttes

Ces perles, qui ressemblent à des gouttes d'eau, sont filées au chalumeau et leur surface est lisse. Très tendance, avec plus de 60 coloris (mat, irisé [AB] ou brillant), elles sont de 4 ou 6 mm.

Les « œil-de-chat »

Ces perles, inspirées de la pierre naturelle calcédoine agate, offrent des dégradés de couleurs qui te plairont. Rondes ou à facettes de 2 à 12 mm de grosseur, elles existent dans 16 couleurs différentes.

Les perles nacrées satin

Rondes et lisses (4, 6 et 8 mm), elles imitent à merveille la beauté des perles de culture. Il s'agit de perles en verre, trempées plusieurs fois dans un bain d'écailles de poisson, auquel on ajoute ensuite de l'argent avant la mise en couleur définitive.

Les perles « Miracle »

Elles sont rondes (4, 6 et 8 mm) et tu auras l'impression de voir « une perle dans la perle ». Au départ, il s'agit d'un noyau de lucite avec une finition de miroir argenté et enduit de plusieurs couches de laque colorée. Attention aux imitations qui sont en plastique !

... et les autres

Les fils

Le fil de Nylon

Souple et transparent, il te permet de tisser la majorité de tes bijoux. Celui utilisé dans ce livre a un diamètre de 0,25 mm.

Le fil de cuivre

Avec ce fil de 0,18 mm de diamètre, tu peux donner des formes à tes bijoux. Il existe en 7 coloris pour s'accorder aux couleurs de tes perles.

Les outils

La pince universelle

Elle coupe, écrase, aplatit et possède un nez arrondi pour donner une forme au fil de cuivre, mais aussi pour monter les anneaux de tes bracelets, colliers et pendentifs. Utilise-la aussi pour couper ton fil de Nylon.

L'aiguille à perles

Elle te sera utile pour enfiler tes perles sur un fil souple comme un fil à coudre, par exemple.

La colle à bijou

Elle te servira pour renforcer les cache-nœuds de tes bracelets ou colliers, mais aussi pour coller tes tissages sur les barrettes, les serre-têtes, les pinces à cheveux…

Les apprêts

Ces accessoires te seront indispensables pour monter bracelets, pendentifs, colliers et boucles d'oreille. Ils sont dorés, argentés ou cuivrés. Choisis-les sans nickel afin d'éviter les risques d'allergie.

Les cache-nœuds

La coquille cache les nœuds de tes bracelets et de tes colliers. Utilise le modèle dont les deux coques se ferment verticalement, le petit trou où tu dois passer tes fils étant au milieu. Il existe aussi un gros modèle qui permet de passer plusieurs fils.

Les fermoirs

Il en existe de multiples : les fermoirs à vis ou à ressort, les mousquetons…

Les petits et grands anneaux

Les anneaux se fixent sur les cache-nœuds ou sur les embouts à lacet. Ils servent à raccorder le fermoir.

Les embouts à lacet

On les ferme sur du ruban ou sur du cordon satin pour accrocher les pendentifs.

Les attaches de boucles d'oreilles

Pour les oreilles percées, utilise les « dormeuses » ou les « fils ». Pour les oreilles non percées, choisis les modèles avec clip.

Les rubans

Tu peux suspendre tes pendentifs sur de nombreux tissus, comme par exemple la mousseline ou le satin, de largeurs différentes. Tu peux aussi utiliser des lacets en cuir ou en coton.

Bijoux : petit mode d'emploi

Préparer le matériel

Choisis un modèle et pose les perles nécessaires sur un tapis de souris retourné afin qu'elles ne roulent pas. Prends le temps de lire toutes les explications et les schémas afin de bien comprendre le montage.

Dispose les perles en petits tas correspondant à chaque étape. Si à la fin d'une étape, il te manque une perle, ou s'il t'en reste, c'est qu'il y a un problème. Ne va pas trop vite et vérifie, à chaque étape, que tu n'as pas fait d'erreur.

Lire les schémas

Le point de départ est indiqué par un triangle rouge. Chaque fil est représenté par un coloris différent : l'un est gris, l'autre est noir. Une flèche à chaque bout indique le sens.

Dans le premier schéma, toutes les perles sont en couleurs car elles sont placées à cette étape. Dans le deuxième schéma, les perles mises à l'étape précédente sont plus pâles. Les perles en couleurs sont celles que tu vas ajouter maintenant. Pose ton tissage de perles dans le même sens que les schémas afin de t'y retrouver plus facilement. Et n'oublie pas : les explications écrites sont là pour t'aider.

Principe de base

Le montage d'un bijou se fait en croisant les fils dans certaines perles. Pour cela, tiens la perle déjà enfilée entre tes doigts, le fil dépassant de 2 cm d'un côté. Enfile l'autre extrémité du fil dans le sens inverse. Tu as ainsi un fil qui sort de chaque côté, comme sur le schéma. Vérifie ensuite que tes deux fils sont de

la même longueur. Pense à bien les serrer à chaque étape.

Les bagues

Faire le tour du doigt

Une fois terminé le dessus de ta bague, tu vas monter le tour de ton doigt. Enfile 1 ou 2 rocailles sur chaque fil, puis croise-les dans une autre perle. Continue ainsi jusqu'à obtenir la taille de ton doigt. Lorsque tu as fini, ajoute comme au début 1 ou 2 rocailles sur chaque fil. Croise les fils dans la perle située en face de celle du départ afin que ta bague soit bien droite. Repasse les fils en sens inverse dans toutes les perles de ton anneau pour le consolider. Croise de nouveau tes fils dans la perle du départ, et avance l'un d'eux dans les perles de la fin de ton anneau : maintenant tes deux fils sont l'un à côté de l'autre. Il ne te reste plus qu'à faire les finitions.

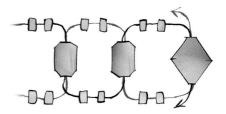

Terminer une bague

Maintenant que tes fils sont côte à côte, fais un premier nœud normal en le serrant bien, puis fais un nœud de chirurgien. C'est très facile ! C'est comme un nœud normal, sauf que tu entoures deux fois l'un de tes fils autour de l'autre (c'est une fois dans un nœud normal).

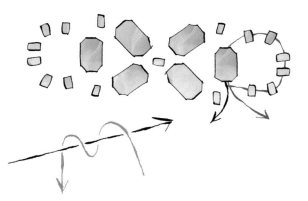

Quand tu serres un nœud, tiens tes fils au plus près des perles, pour ne pas les casser.

Ultimes finitions
Glisse tes deux fils dans la perle située à côté. Tire-les doucement ensemble afin que les nœuds avancent dans la perle. Ainsi ils sont cachés et, en plus ils ne bougeront plus ! Avance ensuite chaque fil dans les perles qui sont à côté sur au moins 2 cm, puis coupe-les à ras avec ta pince.

Les bracelets et les colliers

Monter un cache-nœud
Prends toujours en compte la longueur de l'attache, qui comprend les deux cache-nœuds placés à chaque extrémité, un grand anneau à un bout (dans lequel viendra s'accrocher le fermoir) et un fermoir à l'autre bout.
Pour mettre ton premier cache-nœud, enfile une rocaille au centre de ton fil, puis passe les deux bouts du fil dans le trou du milieu. Ta rocaille se retrouve entre les deux coquilles du cache-nœud. Mets une pointe de colle à bijou dedans, puis referme le cache-nœud avec ta pince en serrant bien.
Enfile l'anneau dans le petit crochet du cache-nœud, ferme-le avec ta pince en la maintenant sur le bout intérieur de ce crochet, et tourne-la

doucement sur elle-même. Ainsi, la boucle va se refermer. Fais la même chose pour poser le fermoir sur le crochet de l'autre cache-nœud. Attache maintenant le fermoir sur l'anneau. Toute l'attache est donc fixée sur le début de ton bijou. Lors du tissage, tu pourras ainsi facilement en contrôler la taille.
Une fois que tu as fini de tisser toutes tes perles, passe tes deux fils dans le second cache-nœud par l'extérieur. Enfile 1 rocaille sur l'un des fils, fais tes nœuds, puis procède comme pour le premier cache-nœud. Coupe ensuite les fils qui dépassent. Ton bijou est terminé !

Terminer un pendentif
Tu as besoin de deux embouts à lacet, un grand anneau et un petit anneau ainsi qu'un fermoir. Si ton ruban est fin, fais un nœud à chaque bout. Pose le nœud dans l'un des embouts à lacet. Avec ta pince, plie l'un des côtés de l'embout sur le ruban en pressant plusieurs fois pour bien l'aplatir. Rabats ensuite l'autre côté de l'embout sur le premier en appuyant bien avec ta pince.
Ouvre le grand anneau en écartant ses deux bouts avec ta pince. Attention, pour que l'anneau ne vrille pas, attire l'un des bouts vers toi, et écarte l'autre bout à l'opposé. Passe-le dans la boucle de l'embout à lacet, et referme l'anneau en serrant ta pince sur les deux bouts pour les rapprocher. De la même manière, ouvre ton petit anneau, glisse-le dans ton fermoir et dans la boucle du second embout à lacet, puis ferme-le. Attache ton fermoir sur le grand anneau. Ton attache est ainsi fixée à l'une des extrémités de ton ruban. Enfile le pendentif sur le ruban, et vérifie dans une glace si la longueur te convient. Il ne te reste plus ensuite qu'à fixer le second embout à lacet comme le premier.

Astuce : si tu souhaites garder longtemps ta bague, fais-la pour ton doigt du milieu. Ainsi, lorsqu'elle sera trop petite, tu pourras la passer sur le doigt d'à côté.

Astuce : pour garder l'aspect brillant des perles, enlève tes bijoux lorsque tu te laves. L'eau, souvent très calcaire, a en effet tendance à ternir les perles.

Serpentine

Une bague toute simple qui viendra s'enrouler autour de ton doigt à la manière des serpents...

Pour cette bague...

... il te faut :

- environ 22 facettes fuchsia de 3 mm
- rocailles bleues
- 50 cm de fil de Nylon
- pince universelle

1. Centre sur ton fil 1 facette, ajoute de chaque côté 1 rocaille et croise les fils dans 1 autre facette. Continue ainsi jusqu'à obtenir la taille de ton tour de doigt. Ajoute alors 2 facettes supplémentaires.

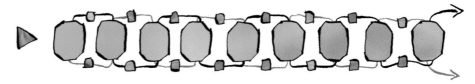

2. Mets côte à côte les deux faces de ta bague en laissant dépasser 2 facettes en haut. Passe le fil du haut dans la rocaille du centre, ajoute 1 rocaille sur le fil du bas et croise les fils dans 1 facette. Recommence une fois ce montage, puis enfile sur chaque fil 1 rocaille avant de les croiser dans 1 facette.

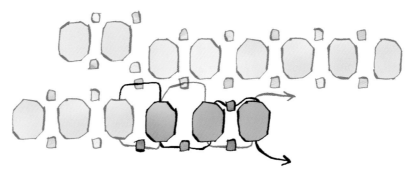

3. Comme sur le schéma, repasse tes fils en arrière dans les rocailles et les facettes afin qu'ils se rejoignent. Noue-les et fais les finitions (voir p. 6).

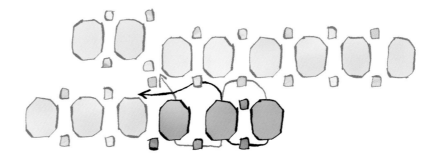

◁ **Astuce :** si tu souhaites une bague plus volumineuse, utilise des facettes de 4 mm.

Gouttes d'eau

Pour te sentir la plus belle et faire tourner toutes les têtes !

Le bracelet

1. Place ton cache-nœud comme indiqué p. 7. Enfile 4 rocailles rouges sur chaque fil, puis croise les fils dans 1 bâton. Sur chaque fil, enfile 3 rocailles rouges et croise les fils dans 1 « œil-de-chat » orange, ajoute encore 3 rocailles rouges sur chaque fil, puis croise les fils dans 1 bâton. Prends ton deuxième fil et glisse-le dans le dernier bâton.

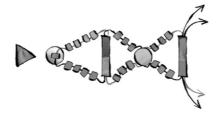

2. À cette phase, tu travailles avec 4 fils. Comme sur le schéma :
- sur 2 d'entre eux, enfile les gouttes rouges et jaunes et les rocailles rouges,
- sur les 2 autres, place 3 rocailles jaunes sur chaque fil, croise-les dans 1 « œil-de-chat » et ajoute encore 3 rocailles. Croise tes 4 fils dans 1 bâton.

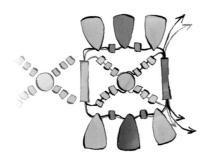

3. Regroupe ensemble tes 2 fils du haut, enfile 3 rocailles jaunes et fais la même chose sur tes 2 fils du bas. Croise tes 4 fils dans 1 « œil-de-chat », ajoute de nouveau 3 rocailles de chaque côté, puis croise-les dans 1 bâton.

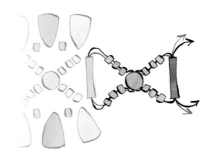

4. Répète quatre fois les étapes 2 et 3, puis encore 1 fois l'étape 2. Tisse à nouveau les perles comme à l'étape 1, en sens inverse. Pour finir, place ton second cache-nœud, ton anneau d'un côté et ton mousqueton de l'autre (voir p. 7).

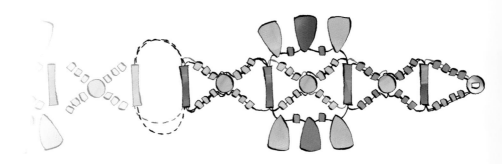

Pour ce pendentif...

... il te faut :

- 2 « œil-de-chat » facettés orange de 4 mm
- 19 gouttes jaunes de 4 mm
- 12 gouttes rouges de 4 mm
- 8 rocailles bâtons rouges
- rocailles jaunes et rouges
- 40 cm environ de ruban rouge de 1 cm de large
- 2 embouts à lacet
- 1 fermoir
- 1 grand anneau et 1 petit
- 50 cm de fil de Nylon
- pince universelle

Le pendentif

1. Centre sur ton fil 1 rocaille jaune. Ajoute sur le fil de gauche 1 bâton et sur celui de droite les gouttes et les rocailles indiquées, puis croise tes 2 fils dans 1 rocaille jaune.

2. Enfile 1 bâton sur ton fil intérieur, et les gouttes et les rocailles sur ton fil extérieur. Croise-les dans 1 rocaille jaune. Refais 5 fois ce montage. Pour fermer le cercle du pendentif, ajoute sur le fil extérieur les gouttes et les rocailles, passe dans la rocaille du départ, puis croise tes 2 fils dans 1 bâton.

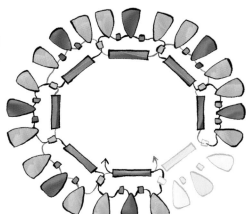

3. Ajoute sur chaque fil les gouttes rouges et jaunes, les rocailles jaunes et croise-les dans 1 « œil-de-chat ». Enfile encore de chaque côté les rocailles et les gouttes, puis croise-les dans le bâton du haut.

4. Passe chaque fil dans les gouttes jaunes situées au-dessus. Enfile 5 rocailles sur chaque fil et croise les fils dans 1 « œil-de-chat ». Ajoute encore 5 rocailles sur chaque fil. Passe un de tes fils dans quelques perles pour qu'il rejoigne l'autre. Noue-les et fais les finitions (voir p. 7).

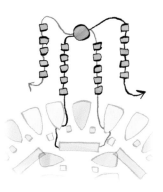

5. Passe le ruban dans la boucle du haut et pose tes embouts à lacet et ton fermoir (voir p. 7).

La bague

1. Centre sur ton fil 1 rocaille rouge, 1 bâton de chaque côté et croise-les dans 1 autre bâton. Place sur chaque fil les gouttes jaunes et rouges avec 1 rocaille rouge entre chacune d'elles, puis croise-les dans 1 bâton.

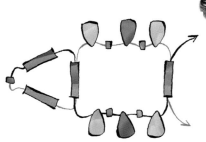

2. Ajoute sur chaque fil 3 rocailles jaunes. Croise les fils dans 1 « œil-de-chat » et place de nouveau 3 rocailles sur chaque fil. Croise les fils dans le bâton de gauche.

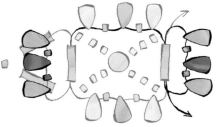

3. Place 3 gouttes sur le fil du bas avec 1 rocaille rouge entre chaque goutte. Repasse ton fil dans le bâton. Avance tes fils dans les gouttes et les rocailles (en haut et en bas), puis croise-les dans le bâton de droite. Refais le même montage pour placer les gouttes de droite.

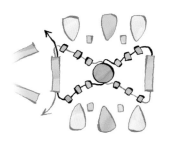

4. Enfile 1 bâton sur chaque fil, croise-les dans 1 rocaille rouge puis commence ton tour de doigt (voir p. 6). Termine comme indiqué p. 6.

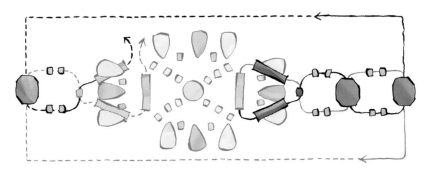

Pour cette bague...

... il te faut :

- 1 « œil-de-chat » facetté orange de 4 mm
- 8 gouttes jaunes de 4 mm
- 4 gouttes rouges de 4 mm
- 6 rocailles bâtons rouges
- facettes rouges de 4 mm et rocailles jaunes et rouges pour le tour de doigt
- 50 cm de fil de Nylon
- pince universelle

Vive le printemps

Transforme en perles de jolis boutons en forme de fleur. Succès garanti avec ce collier très tendance.

1. Centre sur ton fil 2 rocailles pêche, puis passe les deux extrémités du fil dans les trous d'1 bouton mauve et dans ceux d'1 bouton pêche. Enfile sur le fil droit 11 rocailles pêche. Place le bouton mauve sur le bouton pêche et passe le fil à travers l'un des trous des boutons. Ajoute 2 rocailles pêche, puis repasse le fil par l'autre trou afin que le fil ressorte sous les boutons. Répète encore deux fois ce montage à droite. Les rocailles pêche sont en fait cachées derrière les boutons.

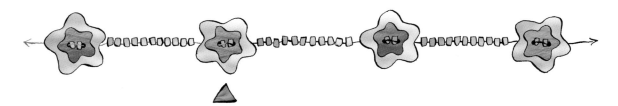

2. Continue sur le même principe, en n'utilisant qu'1 seul bouton à la fois, afin de placer 3 boutons pêche de chaque côté.

3. Monte maintenant la seconde couche de boutons : prends l'autre fil et passe ses 2 extrémités dans les trous d'1 bouton mauve (sur l'arrière). Croise-les dans 2 rocailles pêche. Enfile sur chacun d'eux 4 rocailles mauves et passe-les de chaque côté dans les 2 rocailles pêche placées à l'étape 1. Sur le fil gauche, ajoute 4 rocailles mauves et 2 rocailles pêche. Passe-le par le dessus dans le second trou d'1 bouton mauve et ressors-le sur le dessus par l'autre trou. Repasse de nouveau dans les 2 rocailles pêche, ajoute 4 rocailles mauves et passe dans les 2 rocailles pêche suivantes. Refais trois fois ce montage à gauche et quatre fois à droite.

4. Après avoir placé les 4 rocailles mauves sur le dernier bouton de droite, passe tes deux fils ensemble dans 1 facette, puis enfile sur chacun d'eux 4 rocailles pêche. Répète sept fois ce montage à droite et huit fois à gauche. Termine de chaque côté par une facette mauve. Mets les cache-nœuds à chaque extrémité, puis ton anneau d'un côté et ton mousqueton de l'autre (voir p. 7).

Délicieusement chic

Un bracelet chic et moderne et surtout très facile à réaliser. Tu verras, tes copines seront épatées et elles voudront toutes le même.

1. Mets en place ton anneau et ton premier cache-nœud (voir p. 7). Enfile 4 rocailles sur chaque fil et croise-les dans 1 bâton.

2. Sur le fil du bas, enfile 5 rocailles et repasse le fil dans la deuxième rocaille. Ajoute 1 rocaille, puis croise tes 2 fils dans 1 bâton. Recommence le même montage avec le fil du haut. Continue en ajoutant les rocailles une fois en haut et une fois en bas jusqu'à obtenir la bonne taille pour ton bracelet.

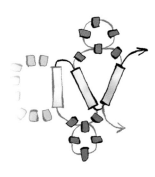

3. Pour finir, enfile sur le fil du bas 5 rocailles et repasse le fil dans la deuxième perle. Enfile encore 1 rocaille. Croise tes fils dans 1 bâton. Place 4 rocailles sur chaque fil et mets en place ton deuxième cache-nœud (voir p. 7). Monte ton anneau et ton fermoir (voir p. 7).

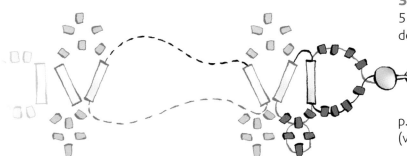

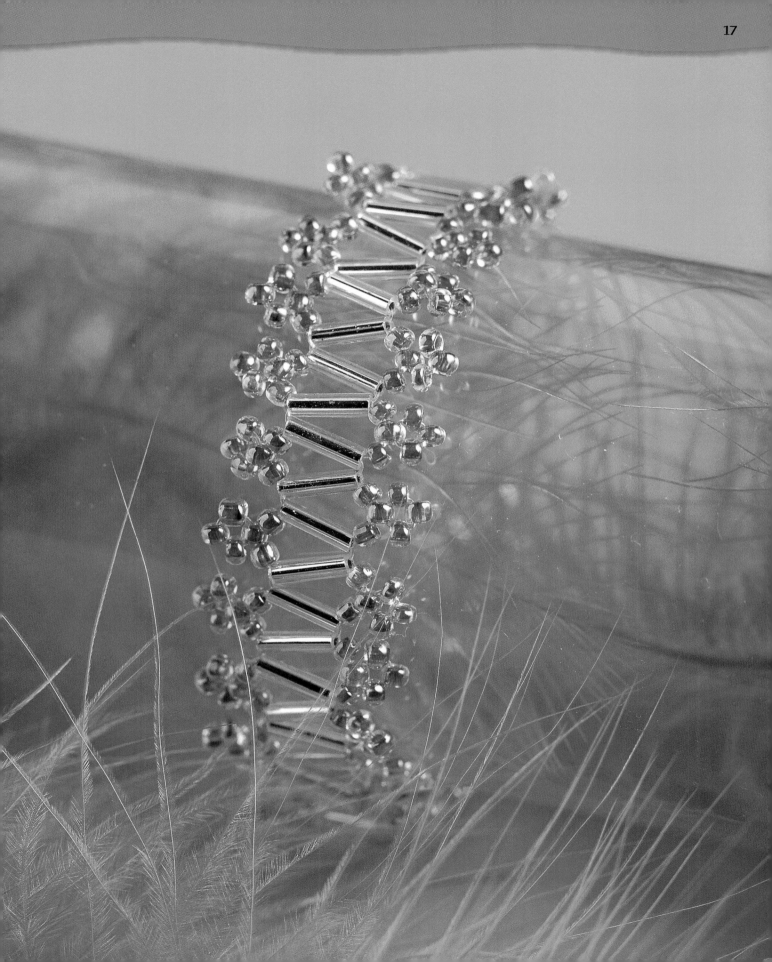

Comme une vahiné

Pour cette bague…

… il te faut :

- 1 perle « fleur » blanche
- 29 toupies de verre turquoise de 4 mm
- rocailles jaunes
- 60 cm de fil de Nylon
- pince universelle

Un bracelet et une bague fleuris aux couleurs de Tahiti. Et pour compléter ta parure, un chouchou assorti : le petit plus pour un look parfait !

La bague

1. Enfile 3 toupies, 1 rocaille et croise tes fils dans une quatrième toupie. Place 1 rocaille sur le fil intérieur, 2 toupies sur le fil extérieur et croise-les dans 1 autre toupie. Refais encore deux fois la même chose. Enfile 2 toupies sur le fil extérieur, passe-le dans la toupie du départ et croise tes fils dans 1 rocaille.

2. Sur tes 2 fils, enfile une fleur par le dessous puis 1 rocaille. Repasse tes deux fils par le trou de la fleur et ressors-les par le dessous. C'est la rocaille qui maintient ta fleur sur le fil. Croise tes fils dans la rocaille qui se trouve de l'autre côté de la fleur, puis avance-les dans les toupies suivantes.

3. Enfile 3 toupies sur le fil gauche et croise l'autre fil dans la dernière toupie. Passe le fil du haut dans les 2 toupies extérieures.

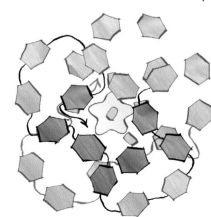

4. Place 2 toupies sur le fil intérieur, croise l'autre fil dans la dernière toupie. Avance le fil extérieur dans les 2 toupies. Répète deux fois ce montage. Passe le fil extérieur dans les 3 toupies du haut, puis croise tes 2 fils dans 1 nouvelle toupie.

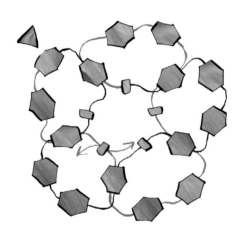

Le montage d'une fleur

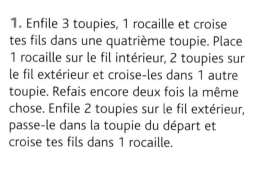

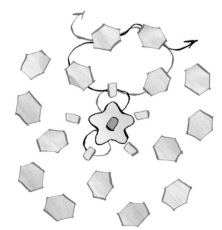

5. Passe tes 2 fils dans les toupies du centre en ajoutant 1 rocaille entre chacune. Avance ensuite tes fils dans les toupies comme indiqué sur le schéma, puis monte ton tour de doigt (voir p. 6). Termine ta bague comme indiqué p. 6.

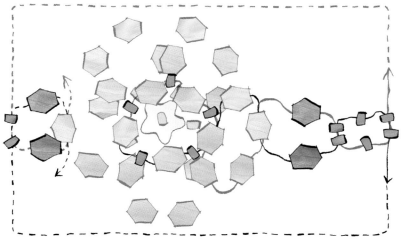

Le bracelet

1. Place ton premier cache-nœud (voir p. 7). Travaille ici tes 2 fils ensemble pour obtenir un bracelet plus solide. Fixe 1 fleur (voir étape 2, p. 18), puis enfile 2 facettes de 3 mm, 1 fleur, 1 rocaille, 1 fleur et 1 facette de 4 mm.

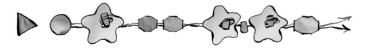

2. Place maintenant 1 fleur, 1 rocaille, 1 fleur et 1 facette de 6 mm. Recommence six fois ce montage. Arrivé au milieu de ton bracelet, monte 4 fleurs en plaçant 1 rocaille entre chacune d'elles.

3. Enfile 1 facette de 6 mm, 1 fleur, 1 rocaille et 1 fleur. Recommence six fois ce montage. Ajoute 1 facette de 4 mm, 1 fleur, 1 rocaille, 1 fleur, 2 facettes de 3 mm et 1 fleur. Mets en place ton second cache-nœud (voir p. 7). Ajoute ton anneau et ton fermoir (voir p. 7).

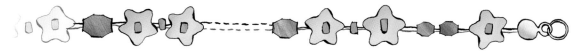

Pour ce bracelet…

… il te faut :

- 38 perles « fleur » blanches
- 14 facettes turquoise de 6 mm
- 2 facettes turquoise de 4 mm
- 4 facettes turquoise de 3 mm
- rocailles jaunes
- 2 cache-nœuds
- colle à bijou
- 1 anneau
- 1 fermoir
- 1 m de fil de Nylon
- pince universelle

Pour un bracelet de 15 cm hors attache.

Astuce : si tu n'as pas de facettes de 3 mm, tu peux parfaitement les remplacer par des facettes de 4 mm.

Le chouchou

1. Travaille tes fils en double pour que ton tissage soit bien solide. Enfile les deux fils dans le centre du chouchou. Ajoute sur chacun d'eux 1 facette, puis croise les fils dans 1 autre facette.

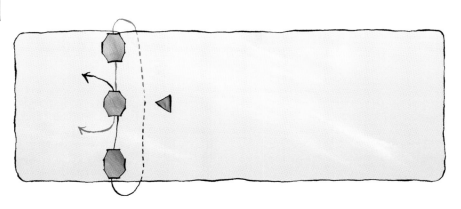

2. Toujours sur le principe du placement de la fleur (voir étape 2 de la bague p. 18), place sur chacun des fils 1 fleur, 1 facette, 1 fleur, 1 facette. Croise les fils dans 1 nouvelle facette.

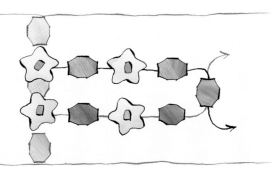

Pour ce chouchou…

… il te faut :

- 6 perles « fleur » blanches
- 6 rocailles jaunes
- 10 facettes turquoise de 4 mm
- 1 chouchou
- 1 aiguille à perles
- 2 fois 50 cm de fil de Nylon
- pince universelle

3. Ajoute sur chaque fil 1 fleur puis 1 facette. Rejoins les fils sous le chouchou pour faire tes nœuds. Passe 2 fils dans l'aiguille à perles, pique à travers le chouchou sur quelques points, puis coupe les fils. Procède de la même manière avec les 2 autres fils.

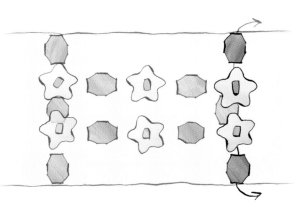

Bonbons acidulés

Pour ce bracelet…

… il te faut :

- 4 boutons verts de 15 mm de diamètre
- 3 boutons orange de 15 mm de diamètre
- 32 facettes orange de 4 mm
- 38 facettes pêche de 4 mm
- rocailles vertes et orange
- 1 fermoir
- 1,20 m de fil de Nylon
- pince universelle

Pour un bracelet de 14 cm hors attache.

Un bracelet haut en couleur qu'on a envie de croquer. Pour faire rimer coquetterie et gourmandise.

1. Centre 3 rocailles vertes sur ton fil et passe 2 fois le fil dans la boucle du fermoir. Ajoute 3 autres rocailles vertes et croise tes fils dans 1 facette orange. Enfile sur chaque fil 1 rocaille verte et 1 facette orange, puis croise les fils dans 1 facette orange. Répète une fois ce montage sans ajouter de rocaille. Enfile 1 facette pêche sur chaque fil, puis croise-les dans 1 facette orange.

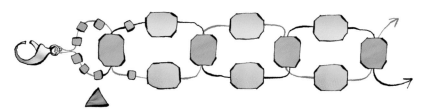

2. Passe les deux fils ensemble dans le premier trou d'un bouton vert et ressors-les sur le dessus. Enfile sur l'un des fils 4 rocailles orange et repasse-le dans la première rocaille. Ressors le fil dans le deuxième trou du bouton et passe-le dans la facette du milieu. Fais la même chose avec l'autre fil.

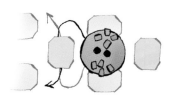

3. Passe à nouveau tes fils dans le trou du bouton et ressors-les sur le dessus. Ajoute sur chacun d'eux 3 rocailles vertes, repasse-les dans le deuxième trou du bouton et croise-les dans la facette de droite.

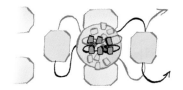

4. Enfile 2 facettes pêche sur chaque fil et croise-les dans 1 facette orange. Répète deux fois ce montage.

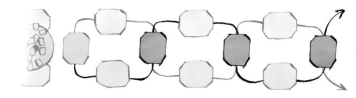

5. Pour le bouton orange, procède comme aux étapes 2 et 3, mais en inversant la couleur des rocailles. Répète l'étape 4. Continue ainsi ton bracelet jusqu'à obtenir la bonne taille.

6. Termine en ajoutant sur chaque fil 2 facettes pêche et croise-les dans 1 facette orange. Puis, en t'aidant du schéma, enfile des facettes orange pour que cette extrémité soit semblable à l'autre. Sur chaque fil, ajoute 3 rocailles vertes, passe tes fils à travers l'anneau et avance-les dans les rocailles jusqu'aux 2 facettes horizontales. Continue de passer tes fils dans toutes les facettes suivantes en ajoutant entre chacune d'elles 1 rocaille verte. Fais tes finitions (voir p. 7).

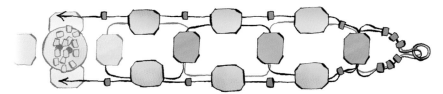

Cœur de rose

Pour cette bague…

… il te faut :

- 1 petite rose métal fuchsia
- 2 perles « cœur » transparentes
- 7 « œil-de-chat » roses de 4 mm
- 6 perles rondes blanches de 2 mm
- rocailles fuschia et blanches
- 50 cm de fil de Nylon
- pince universelle

Ose le mariage des matières ! Mêle des perles de verre avec une rose en métal. Et si tu as envie d'utiliser ces petites roses pour d'autres réalisations, alors vas-y, invente tes propres modèles !

1. Centre sur ton fil 1 « œil-de-chat » et enfile les autres perles comme sur le schéma.

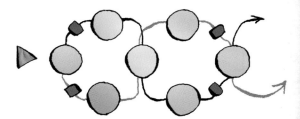

2. Place sur chaque fil 1 rocaille fuchsia et croise les fils dans 1 cœur. Enfile 1 rocaille fuchsia sur chaque fil et croise-les dans l'« œil-de-chat » du centre. Place sur le fil du haut 1 rocaille fuchsia, puis la rose (voir montage p. 18) et encore 1 rocaille fuchsia. Repasse ce fil dans l'« œil-de-chat » du milieu.

3. Place les 4 rocailles fuschia et le cœur comme sur le schéma 2, puis croise tes fils dans « l'œil-de-chat » de gauche. Avance tes fils jusqu'à ce qu'ils se croisent dans « l'œil-de-chat » de droite en ajoutant au milieu 1 perle ronde blanche. Enfile 1 perle ronde blanche sur chaque fil et monte ton tour de doigt (voir p. 6). Termine ta bague comme indiqué p. 6.

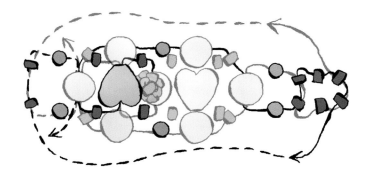

Billes rondes

Des perles rondes comme des billes et des couleurs limpides comme l'eau. Des bijoux à porter tous les jours pour donner une petite note d'élégance à ta tenue.

Le pendentif

1. Enfile 4 perles vertes au milieu du fil, puis croise les fils dans la dernière perle. Ajoute de chaque côté 1 perle blanche et croise les fils dans une troisième perle blanche. Enfile de chaque côté 1 perle verte, puis croise-le fil dans 1 perle blanche. Ajoute 2 blanches et croise les fils dans 1 verte. Enfile encore 3 vertes et croise les fils dans la dernière perle.

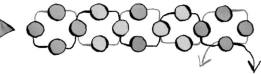

2. Ajoute 3 perles vertes sur le fil de droite et croise les fils dans la dernière perle. Passe le fil du haut dans la perle du milieu. Enfile 2 perles blanches sur le fil du bas et croise les fils dans la deuxième perle. Continue ainsi jusqu'à la fin du rang en respectant les indications de couleurs du schéma.

◀ **Pendentif** vu de profil

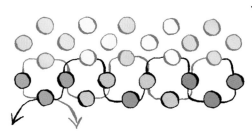

3. Refais le même montage que précédemment en t'aidant du schéma.

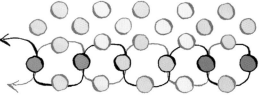

4. Sur ce schéma, le tissage des perles est représenté replié sur lui-même (vu de face). Ainsi, les perles estompées représentent la première et la dernière rangée, montées aux étapes précédentes. Les perles de couleur vont fermer le rectangle de perles. Place ton cordon en travers des perles. Suis le schéma en passant les fils dans les perles estompées et croise-les dans les perles de couleur.

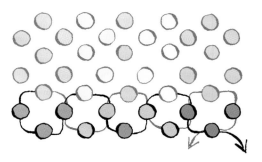

5. Arrête tes fils et fais les finitions (voir p. 6). Mets en place les embouts à lacet, ton fermoir et tes anneaux (voir p. 7).

La bague

Pour cette bague…

… il te faut :

- 13 « œil-de-chat » verts de 4 mm
- 6 « œil-de-chat » blancs de 4 mm
- rocailles vertes et blanches
- 60 cm de fil de Nylon
- pince universelle

1. Enfile 1 perle verte au milieu du fil. Ajoute, à gauche, 1 perle blanche et, à droite, 1 verte et croise les fils dans une troisième perle verte. Ajoute 1 perle de chaque côté en plaçant toujours la blanche à gauche et la verte à droite, puis croise les fils dans 1 perle verte. Répète trois fois ce montage.
Enfile 1 perle de chaque côté en tenant compte des couleurs, puis croise les fils dans la perle verte du départ.

2. Ce schéma représente le montage vu de profil. Avance tes fils dans les perles afin qu'ils ressortent de l'« œil-de-chat » blanc du haut.

3. Ici le montage est présenté vu du haut. Passe tes fils dans les perles blanches jusqu'à ce qu'ils se croisent.

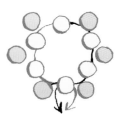

4. Enfile sur chaque fil 2 rocailles vertes, puis passe tes fils ensemble dans 1 perle verte. Enfile sur chaque fil 2 rocailles vertes. Croise-les dans la perle blanche située en face de celle de départ.

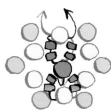
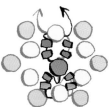

5. Avance tes fils dans les perles vertes en ajoutant 2 rocailles blanches entre chacune d'elles. Après les avoir croisés dans la perle du bas, fais ton tour de doigt et tes finitions (voir p. 6).

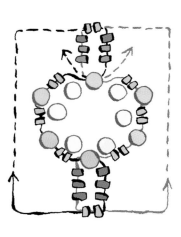

La barrette

1. Commence par tisser la base. Enfile 3 perles vertes et croise tes fils dans une quatrième perle. Place 1 perle verte sur chaque fil et croise-les dans 1 autre perle verte. Répète neuf fois ce montage.

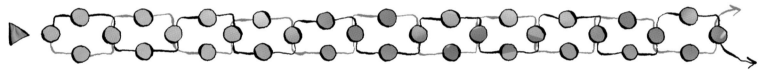

2. Enfile 2 rocailles vertes sur chaque fil et croise les fils dans 1 perle blanche. Ajoute encore 2 rocailles vertes sur chaque fil. Croise les fils dans la perle verte. Continue ainsi jusqu'à avoir placé les 11 perles blanches.

3. Passe tes fils dans toutes les perles vertes extérieures en intercalant entre chacune d'elles 1 rocaille blanche. Croise les fils dans la dernière perle verte. Fais les finitions (voir p. 6). Mets quelques gouttes de colle sur le socle de la barrette, puis pose ton montage dessus.

En effeuillant la marguerite

Je t'aime un peu, beaucoup, passionnément, à la folie… Tu vas adorer cette bague. Attention à ce que ta grande sœur ne te la chipe pas !

1. Centre sur ton fil de cuivre 1 rocaille, glisse dans 1 cœur les deux bouts de ton fil, puis ajoute 1 rocaille sur chaque fil.

2. Sur le fil du haut, place 1 cœur, 1 rocaille, repasse par le cœur et ajoute de nouveau 1 rocaille. Tends bien ton fil. Refais une fois ce montage sur ce même fil et trois fois sur l'autre. Termine en croisant tes deux fils dans 1 rocaille.

3. Enfile 1 rocaille sur chaque fil, puis passe-les ensemble dans la facette de 6 mm et ajoute de nouveau 1 rocaille sur chacun d'eux. Passe un des fils dans la rocaille du milieu, puis dans le cœur

et dans la rocaille du haut du cœur. Repasse dans le cœur, tends bien ton fil et coupe-le. Fais de même avec l'autre fil.

4. Passe le fil de Nylon dans 1 rocaille du centre et monte ton tour de doigt (voir p. 6). Termine comme indiqué p. 6.

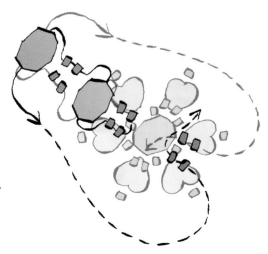

Harmonieux pétales

Une bague tout en finesse et en délicatesse. Pour une tenue habillée, choisis celle avec des perles irisées ; pour une sortie entre copines, opte pour la bague rose fuchsia.

1. Centre 6 rocailles sur le fil et repasse-le dans la première rocaille. Passe ensemble tes fils dans la fleur et croise-les dans 1 rocaille. Ajoute 3 rocailles sur l'un des fils et repasse-le dans la première rocaille. Passe dans toutes ces perles avec l'autre fil. Ressors les 2 fils ensemble sous la fleur et croise-les dans la rocaille en face.

2. Retourne ton travail, la fleur vers le bas. Sur le fil de gauche, enfile 10 rocailles et repasse-le dans la première rocaille. Passe le fil dans la rocaille du centre. Ajoute 6 rocailles et repasse le fil dans les 5 premières. Refais 1 fois le montage depuis le début. Termine par 1 boucle de 10 rocailles, puis avance ton fil dans la rocaille du centre.

3. Avec le fil de droite, monte une tige et une boucle trois fois de suite en passant dans la rocaille du centre, comme indiqué sur le schéma.

Voici une autre version de cette bague montée avec des rocailles fuchsia. Comme pour ce modèle, n'hésite pas à modifier le nombre des rocailles des tiges et des boucles.

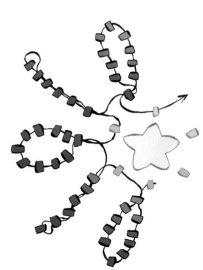

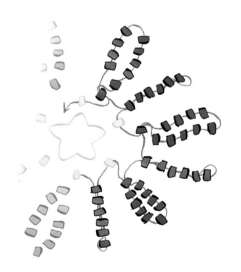

4. Passe le fil de gauche dans la rocaille suivante, puis tisse ton tour de doigt (voir p. 6). Fais tes finitions (voir p. 6).

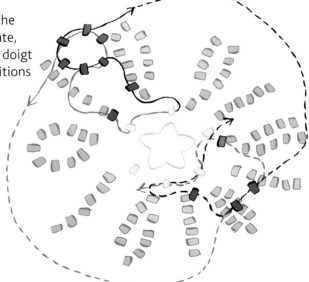

Astuce : tu peux varier cette bague en une multitude de modèles différents ; pour cela, diminue ou augmente le nombre de « pétales » autour de ta fleur.

Rosée du matin

De délicates perles vertes et jaunes déposées par la rosée du matin et, en guise de fermoir, des papillons. Un bracelet très romantique pour une jeune fille rêveuse…

1. Prends deux fils ensemble, puis fais 3 nœuds l'un sur l'autre pour déterminer le milieu de ton bracelet. Enfile les différentes perles en t'inspirant du modèle. Fais 3 nœuds entre chaque lot de 3 perles afin de les bloquer sur le fil.

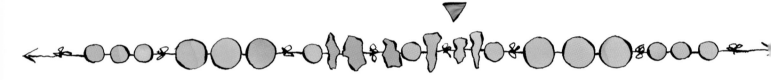

2. Avec les 2 autres fils, applique le même principe pour disposer les perles restantes.

Pour ce bracelet…

… il te faut :

- 10 pierres vertes (chips)
- 23 perles rondes opaques jaunes
- perles « Miracle » de 4 mm : 6 jaunes et 6 vertes
- perles « Miracle » de 6 mm : 6 jaunes et 6 vertes
- 2 perles fantaisie (papillons jaunes) pour la fermeture
- 4 fois 25 cm de fil à coudre « superrésistant »
- épingle et aiguille à perles
- pince universelle

Pour un bracelet de 16 cm hors attache.

3. Lorsque tu choisis les perles fantaisie qui vont servir de fermoir, vérifie que le trou soit suffisamment large pour y passer tous tes fils. Enfile les papillons côte à côte sur les quatre fils. Ajoute, à chaque extrémité, sur les 4 fils du haut, 1 perle ronde jaune de 6 mm, puis fais tes nœuds pour les bloquer en laissant de la longueur de fil afin de pouvoir enfiler ton bracelet. Pour serrer ton bracelet sur ton poignet, il te suffit de tirer sur les 2 grosses perles rondes jaunes. Assemble les fils restant 2 par 2 et ajoute à chaque extrémité 1 ronde jaune de 4 mm.

Astuce : le fil à coudre étant très souple, utilise une aiguille à perles pour enfiler tes pierres et tes perles. Cela sera beaucoup plus facile. L'épingle te servira à percer les trous des pierres naturelles, ou chips, qui sont souvent mal formés.

Une vraie diva

Un bracelet, une bague et un serre-tête et enfin tu ressembleras aux princesses de toutes ces histoires qui te font tant rêver. Peut-être rencontreras-tu le Prince charmant ?

Le bracelet

Pour ce bracelet…

… il te faut :

- 55 perles nacrées claires de 4 mm
- 29 perles nacrées foncées de 4 mm
- rocailles bronze
- 1 m de fil de Nylon
- pince universelle

Pour un bracelet de 16 cm hors attache.

1. Centre 9 rocailles sur le fil, puis croise les fils dans 1 autre rocaille. Repasse l'un des fils dans les perles afin de consolider l'anneau de l'attache. Ajoute les rocailles et les perles rondes suivantes selon les couleurs du schéma.

2. Place les perles du centre, puis croise tes fils dans la perle ronde de gauche. Avance tes fils dans les perles extérieures jusqu'à ce qu'ils se croisent dans la perle ronde de droite.

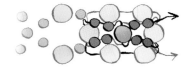

3. Comme sur le schéma, ajoute les 4 rocailles, les 2 perles rondes foncées et les 6 rondes claires.

4. Répète les montages 2 et 3 jusqu'à ce que ton bracelet ait la bonne taille. Pour finir l'attache, place sur chaque fil le lot de rocailles et de perles rondes puis regroupe les fils dans 1 ronde et 1 rocaille.

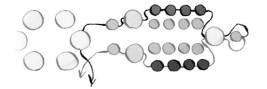

5. Repasse les fils ensemble dans la première perle ronde et ajoute de chaque côté 4 rocailles. Avance tes fils dans quelques perles afin qu'ils se rejoignent et fais les finitions (voir p. 7).

Pour cette bague…

… il te faut :

- 7 perles rondes nacrées claires de 4 mm
- 2 perles rondes nacrées foncées de 4 mm
- rocailles bronze
- 50 cm de fil de Nylon
- pince universelle

La bague

1. Monte les 7 perles rondes claires comme sur le schéma.

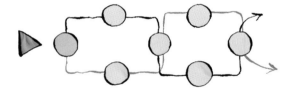

2. Ajoute 2 rocailles sur chacun des fils et croise-les dans 1 perle ronde foncée. Enfile de nouveau 2 rocailles sur chaque fil et croise-les dans la perle ronde centrale. Refais 1 fois ce montage.

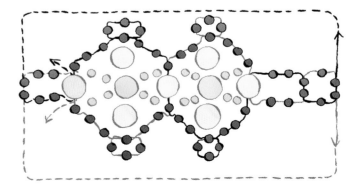

3. Ajoute sur le fil du haut 7 rocailles, repasse le fil dans la quatrième. Enfile 3 rocailles et avance ton fil dans la perle ronde du milieu. Fais le même montage sur l'autre fil. Repasse chaque fil dans la rocaille située dans le prolongement de la ronde du centre. Place sur le fil du haut 6 rocailles, repasse-le dans la troisième.
Ajoute 3 rocailles et avance-le dans la perle ronde de droite. Recommence ce montage avec l'autre fil. Tisse le tour de doigt et termine comme indiqué p. 6.

Le serre-tête

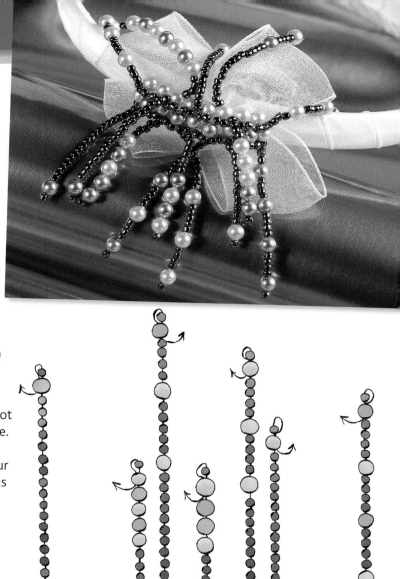

1. Sur le fil de 60 cm, tisse les 14 perles rondes claires en suivant le montage.

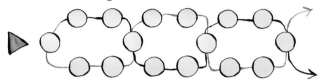

2. Pour habiller le dessus de ta base, procède comme à l'étape 2 de la bague (p. 38).

3. Place sur le fil du bas les 3 perles rondes encadrées d'un lot de 4 rocailles de chaque côté, puis enfile en dernier 1 rocaille. Repasse le fil dans la ronde. Pour arrêter ton fil, fais une boucle autour du brin de perles, glisse l'extrémité à l'intérieur de cette boucle et serre le nœud afin qu'il se place au-dessus de la ronde. Refais une fois ce nœud, puis glisse le fil dans les perles sur au moins 1 cm. Tu arrêteras ainsi toutes tes extrémités de fils. Sur l'autre fil, enfile 20 rocailles, 1 ronde, 1 rocaille et retraverse la ronde. Sur le schéma, chaque pendant utilise un fil différent.

Pour ce serre-tête…

… il te faut :
- 47 perles nacrées claires de 4 mm
- 23 perles nacrées foncées de 4 mm
- rocailles bronze
- 2 fois 16 cm de mousseline de 2 cm de large
- 60 cm de ruban de satin de 1,5 cm de large
- fil à coudre et aiguille
- colle à tissu et colle à bijou
- 1 serre-tête en plastique
- 50 cm de fil de Nylon + 6 brins de 20 cm de 0,25 mm d'épaisseur
- pince universelle

4. Enroule le ruban de satin autour du serre-tête. Colle-le au fur et à mesure avec la colle à tissu. Ferme chaque ruban de mousseline par une couture. Superpose-les et entoure-les, en leur centre, de fil à coudre. Tu obtiens 4 boucles de ruban. Fixe ce montage sur le serre-tête avec la colle à tissu, et, avec la colle à bijou, fixe ton montage de perles.

Pyramide

Pour cette bague...

... il te faut:

- 12 « œil-de-chat » jaunes de 4 mm
- environ 15 facettes vertes de 4 mm
- rocailles vertes et jaunes
- 60 cm de fil de Nylon
- pince universelle

Du volume pour cette bague chatoyante que tu pourras décliner dans différentes couleurs.

1. Enfile 4 « œil-de-chat », 1 rocaille et repasse ton fil dans le premier « œil-de-chat ».

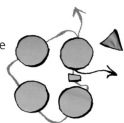

2. Place sur le fil extérieur 3 « œil-de-chat », sur l'autre 1 rocaille et croise-le dans le dernier « œil-de-chat ». Répète une fois ce montage. Enfile 2 « œil-de-chat » sur le fil extérieur, 1 rocaille sur le fil intérieur et croise-les dans l'« œil-de-chat » du départ.

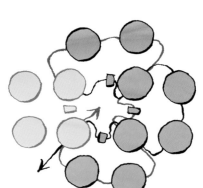

3. Avance le fil du bas dans l'« œil-de-chat » de gauche et croise tes fils dans 1 rocaille, 1 facette et 1 rocaille. Serre bien. Passe le fil du bas dans les 2 « œil-de-chat » suivants en ajoutant 1 rocaille au milieu.

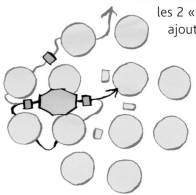

4. Répète trois fois le montage de l'étape 3. Termine en repassant ton fil intérieur dans les rocailles et les facettes du départ. Croise tes fils dans l'« œil-de-chat » du bas.

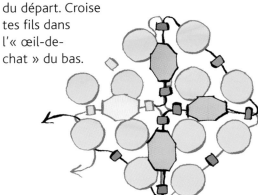

5. Avance tes fils dans les rondes extérieures en ajoutant 1 rocaille aux endroits indiqués. Après avoir croisé les fils dans 1 rocaille, monte ton tour de doigt (voir p. 6) et finis ta bague comme indiqué à la p. 6.

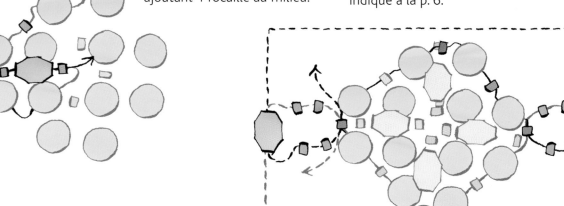

Ruban de perles

Pour ce bracelet…

… il te faut :

- environ 25 facettes argent de 4 mm
- environ 25 facettes vertes de 4 mm
- rocailles vertes
- 2 cordons de satin de 20 cm
- 2 gros cache-nœuds
- colle à bijou
- 1 anneau
- 1 fermoir
- vernis à ongle incolore
- 2 fois 15 cm de fil de cuivre de 0,18 mm d'épaisseur
- 2 fois 25 cm + 4 fois 10 cm de fil de Nylon
- pince universelle

Pour un bracelet de 15 cm hors attache.

Si tu aimes les mélanges de matières, laisse-toi séduire par ce bracelet où les perles se mêlent à des cordons de satin.

1. Fais deux doubles nœuds pour assembler tes 2 fils de 25 cm et passe dessus du vernis incolore. Sur chaque fil, enfile des rocailles et des facettes en t'inspirant du schéma.

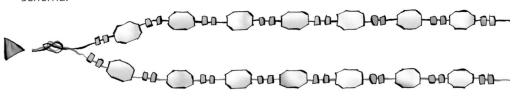

2. Préparation des attaches : en le centrant, enfile le mousqueton sur un fil de 10 cm mis en double. Passe les 4 bouts dans un des cache-nœuds. Ajoute 1 rocaille sur deux des fils et fais 3 nœuds. Étale du vernis dessus. Laisse sécher et coupe tes fils. Fais la même chose avec l'autre cache-nœud mais en plaçant le grand anneau.

3. Fixation des attaches : avec le fil de cuivre, entoure très serré les deux rubans et les deux fils (juste au-dessus des nœuds). Tortille le fil plusieurs fois avant de le couper. Aplatis-le avec ta pince. Mets de la colle à bijou dans le cache-nœud, pose dedans l'extrémité de ton bracelet et rabats les deux coquilles avec ta pince.

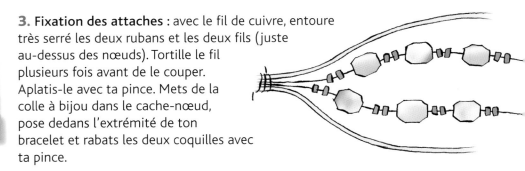

4. Tressage du bracelet : les deux fils de perles se trouvent au centre et les deux cordons à l'extérieur. Passe tes deux cordons sous chaque fil de perles vers l'intérieur, croise-les et passe-les ensuite sur le dessus de chaque fil de perles.

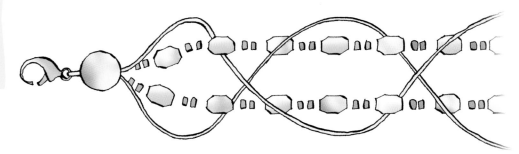

◄ Astuce : une fois que tu as enfilé toutes les perles sur tes fils, place des pinces à clampe à leur extrémité pour éviter que tes perles ne partent. Tu pourras ainsi réaliser plus facilement ton tressage.

Tresse ainsi tout ton bracelet. Vérifie alors sa taille sur ton poignet. Tiens compte des attaches. Il n'est pas trop tard pour le réduire ou l'agrandir. Monte le deuxième cache-nœud comme précédemment.

5. Montage des pendeloques : sur un des fils restants de 10 cm, centre 1 rocaille. Passe ensemble les deux extrémités du fil dans 1 facette argent. Enfile les rocailles et les facettes sur un fil.

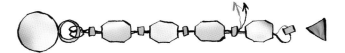

Entoure ton fil deux fois autour de l'anneau, puis passe-le à travers les perles jusqu'à ce qu'il rejoigne l'autre fil. Noue les fils et fais les finitions (voir p. 6). Procède de la même manière pour la seconde pendeloque.

Belle au bois dormant

En toi sommeille la Belle au bois dormant. Elle n'attend que cette parure tout en douceur pour se réveiller ! Tu n'as plus qu'à enfiler ta plus belle robe.

Le pendentif

Pour ce pendentif…

… il te faut :

- 9 roues cristal de 7 mm
- 8 roues roses de 7 mm
- rocailles rose pâle
- 40 cm de ruban satin
- 2 embouts à lacet
- 1 petit et 1 grand anneau
- 1 fermoir
- 60 cm de fil de Nylon
- pince universelle

1. Centre 1 roue rose sur ton fil puis enfile les rocailles et les roues cristal comme indiqué. Croise les fils dans 1 roue rose et ajoute 1 rocaille sur chaque fil.

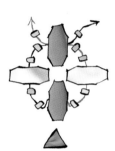

2. Sur le fil de gauche, ajoute 1 roue rose, 2 rocailles, 1 roue cristal, 2 rocailles, 1 roue rose, 2 rocailles, 1 roue cristal, 2 rocailles. Repasse ton fil dans la roue rose et ajoute 1 rocaille. Fais la même chose sur le fil de droite.

3. Croise tes deux fils dans 1 roue rose. Place sur chaque fil les rocailles et les roues cristal, puis croise-les dans 1 roue rose.

4. Pour l'attache du pendentif, enfile 5 rocailles sur chaque fil, croise-les dans 1 roue cristal, ajoute encore 5 rocailles et croise-les dans la roue rose. Fais les finitions (voir p. 7).

5. Enfile ton pendentif sur le cordon de satin. Mets en place tes embouts, les anneaux et ton fermoir (voir p. 7).

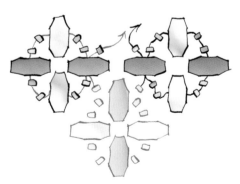

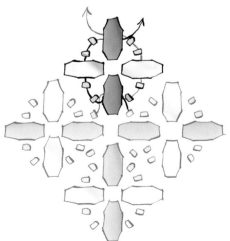

Les boucles d'oreilles

1. Centre sur ton fil 1 roue cristal, ajoute 2 rocailles sur le fil de droite et 3 sur le fil de gauche. Place de chaque côté 1 roue cristal. Enfile 2 rocailles sur le fil de gauche, 3 sur le fil de droite et croise les fils dans 1 roue cristal.

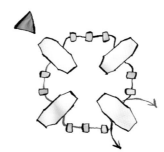

2. Sur le fil du bas, ajoute 2 rocailles, 1 roue rose, 2 rocailles. Passe le fil dans la roue cristal. Répète cette opération une fois sur chacun des fils. Enfile 2 rocailles sur chaque fil et croise-les dans 1 roue rose.

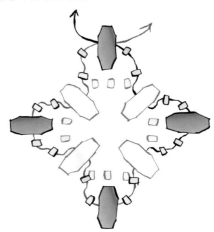

3. Place 3 rocailles sur chacun des fils et croise les fils dans la boucle du support de boucle d'oreille. Ajoute de nouveau 2 rocailles sur chaque fil, croise-les derrière le montant de la boucle d'oreille. Repasse les fils dans les 2 rocailles, puis fais tes finitions (voir p. 7).
Procède de la même façon pour faire la deuxième boucle d'oreille.

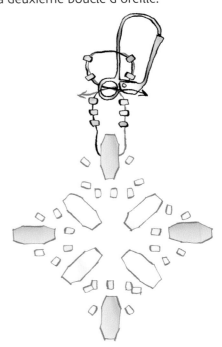

La bague

1. Enfile 4 facettes sur ton fil et croise l'autre extrémité du fil dans la première facette.

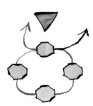

2. Ajoute sur le fil de gauche 2 rocailles, 1 roue rose, 1 rocaille, 1 roue cristal, 2 rocailles et passe le fil dans la facette du bas. Répète le même montage sur l'autre fil, mais en inversant les couleurs des roues.

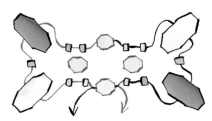

3. Place sur le fil de gauche 2 rocailles, 1 roue cristal, 3 rocailles, 1 roue cristal, 2 rocailles et passe le fil dans la facette du haut. Enfile sur l'autre fil 2 rocailles, 1 roue rose et passe dans la rocaille du milieu, ajoute de nouveau 1 roue rose, 2 rocailles et avance le fil dans la facette du milieu.

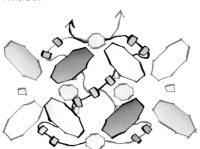

4. Place sur chaque fil 1 roue cristal, 2 rocailles et croise les fils dans 2 autres rocailles. Continue ton tour de doigt, jusqu'à obtenir la bonne taille. N'oublie pas de le terminer en ajoutant 1 roue cristal sur chaque fil avant de les croiser dans la facette du bas. Fais les finitions (voir p. 6).

Pour cette bague…

… il te faut :

- 8 roues cristal de 7 mm
- 4 roues roses de 7 mm
- 4 facettes cristal de 4 mm
- rocailles rose pâle
- 60 cm de fil de Nylon
- pince universelle

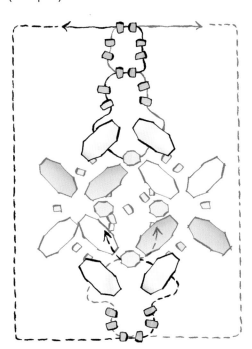

Été indien

Des couleurs qui évoquent l'automne pour ce collier joliment fleuri.

Pour ce collier…

… il te faut :

- environ 70 toupies de verre roses de 4 mm
- environ 40 pierres ocre (chips)
- rocailles microtubes roses
- rocailles orange
- 1 fermoir à vis
- 2 fils de cuivre argent de 2 m et de 0,18 mm d'épaisseur
- pince universelle

1. Enfile le fermoir au centre de l'un des fils. Entortille les 2 fils l'un sur l'autre assez serrés sur environ 1 cm. Monte les boucles (voir étape 2) en entortillant les fils ensemble. Au milieu du collier, fais une boucle de 4 perles, puis continue comme au début. À la fin, croise tes fils dans l'anneau de la seconde partie du fermoir et entortille-les bien serrés avant de les couper.

2. Montage d'une boucle : enfile un lot de 3 perles différentes sur l'un des brins en laissant un peu de fil libre, puis entortille-le sur lui-même jusqu'à ce qu'il rejoigne l'autre fil. Entortille à nouveau les 2 fils ensemble jusqu'à la boucle suivante. À chaque boucle, utilise le fil le plus long.

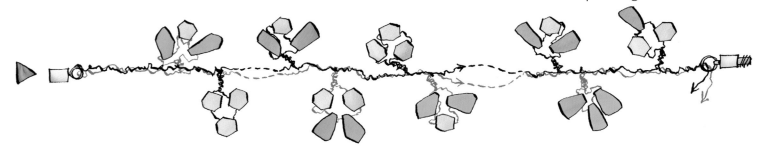

Astuce : pour tes boucles, alterne les pierres ocre et les toupies de verre. Inspire-toi des boucles du schéma de l'étape 2, ou laisse aller ton imagination…

3. Centre le second fil dans l'anneau du fermoir et entortille-le sur 1 cm autour du montage précédent. Enfile sur toute la longueur d'un des fils les microtubes, puis entoure-le autour de ton collier. Enfile les rocailles sur l'autre fil et entoure-le par-dessus. Arrête tes fils comme à la fin de l'étape 1.

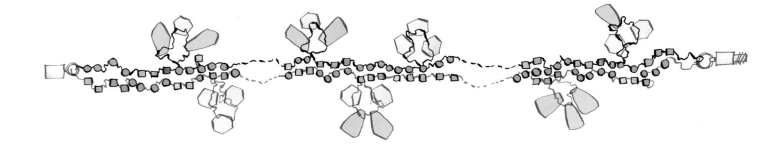

Sur les bords du Nil

Un bijou classique revisité pour toi. Pour les plus grandes et les plus petites...

Pour cette bague...

... il te faut:

- 3 perles rondes nacrées satin de 4 mm
- 12 grosses rocailles bleu roi de 3 mm
- environ 8 facettes bleu roi de 3 mm (pour le tour de doigt)
- rocailles bleu roi
- 50 cm de fil de Nylon
- pince universelle

1. Centre sur le fil 5 grosses rocailles puis 2 petites de chaque côté. Croise les fils dans 3 perles nacrées et 2 grosses rocailles dans l'ordre du schéma.

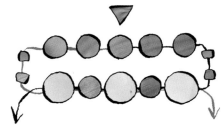

2. Enfile 2 petites rocailles sur chaque fil, puis croise les fils dans 5 grosses rocailles.

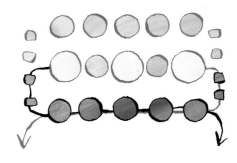

3. Passe le fil de gauche dans toutes les perles extérieures, puis croise les fils dans les rocailles de droite.

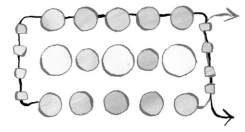

4. Monte ton tour de doigt (voir p. 6) et reporte-toi à la p. 7 pour les finitions.

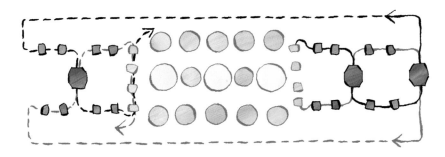

Futuriste

Une inspiration résolument moderne pour cette bague géométrique. En son cœur se cache une rose, petite touche de gaieté pour une tenue un peu sombre.

1. Centre 3 bâtons sur ton fil, puis repasse un des fils dans le premier bâton.

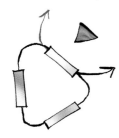

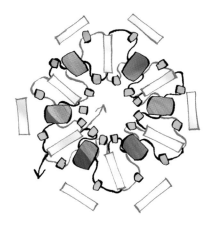

2. Enfile 2 bâtons sur ton fil extérieur et croise l'autre fil dans le deuxième bâton. Répète trois fois ce montage. Ajoute 1 bâton sur le fil extérieur, puis passe tes deux fils dans le bâton du début.

4. Avance le fil du bas dans les 2 bâtons comme sur le schéma. Enfile tes deux fils ensemble par le dessous de la rose métallique et ajoute 1 rocaille jaune sur le dessus de la rose. Ressors tes deux fils sous la rose, puis passe tes fils dans les 3 bâtons.

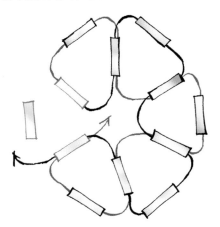

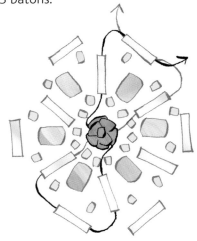

3. Pour habiller le dessus de ta bague, enfile 1 rocaille jaune sur chaque fil et croise les fils dans 1 grosse rocaille bleue. Répète encore cinq fois ce tissage.

5. Passe ton fil de gauche dans tous les bâtons extérieurs en ajoutant entre chacun d'eux 1 rocaille jaune, et cela jusqu'au bâton de droite. Ajoute 1 rocaille jaune sur ton fil de droite puis avance dans le bâton suivant. Enfile 1 bâton sur chaque fil et commence ton tour de doigt (voir p. 6) en alternant les rocailles jaunes et bleues.

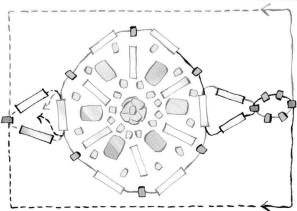

Un amour de bague

Pour cette bague…

… il te faut :
- 4 facettes mauves de 4 mm
- 2 facettes parme de 4 mm
- rocailles métallisées
- 50 cm de fil de Nylon
- pince universelle

Pour les plus romantiques, une bague délicate à passer à son doigt.

1. Centre 1 facette mauve sur ton fil, puis enfile de chaque côté 1 rocaille, 1 facette parme et croise tes fils dans une rocaille. Enfile 1 facette mauve, 1 rocaille sur chaque fil, puis croise les fils dans 1 facette parme.

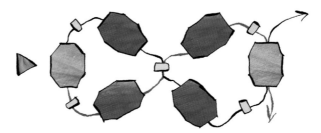

2. Afin de consolider ta bague, repasse tes fils en sens inverse dans toutes les perles de l'étape précédente. Fais ton tour de doigt. Enfile sur chaque fil 2 rocailles et croise-les dans 2 autres rocailles. Continue en enfilant 1 rocaille sur chaque fil et croise tes fils dans 2 rocailles. Procède ainsi jusqu'à obtenir la taille souhaitée. Finis en enfilant 2 rocailles sur chaque fil avant de les croiser dans la facette de gauche. Afin que tes 2 fils soient placés côte à côte pour faire tes nœuds, avance l'un d'eux dans quelques perles. Fais tes finitions (voir p. 7).

Astuce : tu peux aussi réaliser une bague un peu plus large. À la fin du schéma 1, ajoute 1 rocaille sur chaque fil et tisse un second lot de 4 facettes parme. Place ensuite 1 rocaille sur chaque fil, puis croise-les dans une facette mauve. Termine comme indiqué dans le schéma 2.

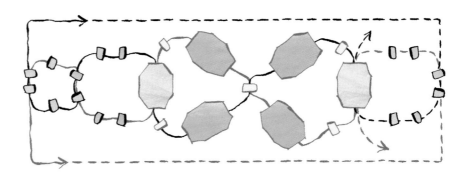

Coiffure en fête

Tu rêves d'une nouvelle tête ? Pas la peine d'aller chez le coiffeur, il te suffit d'habiller de perles une simple pince à cheveux.

Pour cette pince…

… **il te faut** :
- 8 perles « Miracle » jaunes de 4 mm
- 4 perles « Miracle » vertes de 4 mm
- 1 perle « Miracle » jaune de 6 mm
- 3 perles « Miracle » vertes de 6 mm
- rocailles jaunes
- 60 cm de fil de cuivre fin de 0,18 mm d'épaisseur
- pince universelle

Pince « Miracle »

1. Ici chaque lot de perles est composé de 2 perles « Miracle » de 4 mm de couleurs différentes et d'1 rocaille placée au centre. Centre ton premier lot de perles sur le fil, passe les 2 fils sur l'arrière de la pince et tortille-les ensemble (n°1). Place les autres perles sur le même principe en suivant les numéros du schéma.

2. Ramène tes 2 fils sur le devant, croise-les dans 1 perle verte de 6 mm. Place sur 1 fil les perles indiquées sur le schéma et repasse ton fil dans les 2 perles rondes du haut. Serre bien et fais de même sur l'autre fil.

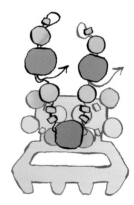

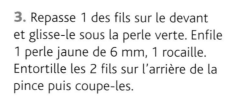

3. Repasse 1 des fils sur le devant et glisse-le sous la perle verte. Enfile 1 perle jaune de 6 mm, 1 rocaille. Entortille les 2 fils sur l'arrière de la pince puis coupe-les.

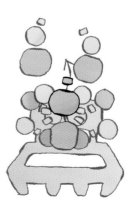

Pince de printemps

1. Place 1 fleur et 1 petite feuille sur le devant de ta pince. Entortille la tige métal autour de la pince. Fais la même chose avec la grande feuille sur la partie arrière de ta pince.

2. Recouvre ta pince de façon irrégulière avec des « œil-de-chat » et des rocailles. N'hésite pas à repasser sur les perles déjà en place. Fais une boucle de rocailles avec 2 « œil-de-chat » sur le haut afin qu'elle dépasse de la pince. Entortille les extrémités de ton fil sur l'arrière, puis coupe l'excédent.

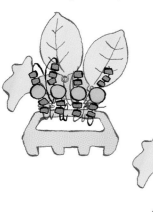

Pour cette pince…

… il te faut :

- 1 pince à cheveux
- 1 fleur jaune sur tige métal
- 1 grande et 1 petite feuille jaune sur tige métal
- environ 12 « œil-de-chat » jaunes de 4 mm
- rocailles vertes
- 60 cm de fil de cuivre fin de 0,18 mm d'épaisseur
- pince universelle

Reine de la nuit

Pour ce bracelet…

… il te faut :

- 36 facettes olives noires de 6/4 mm
- 38 facettes noires de 4 mm
- rocailles de couleurs vives
- 2 caches-nœud
- colle à bijou
- 1 fermoir
- 1 anneau
- 2 m de fil de Nylon
- pince universelle

Pour un bracelet de 15,50 cm hors attache.

Pour être la plus belle, une parure qui brille de mille feux. Tu seras la reine de la nuit.

1. Place ton cache-nœud (voir p. 7). Enfile sur chaque fil 2 rocailles et croise-les dans 1 facette. À partir de maintenant, répète le montage suivant jusqu'à obtenir 9 triangles au total : de chaque côté, ajoute 1 rocaille. Sur le fil du bas, enfile 1 facette et 1 rocaille et croise tes 2 fils dans 1 facette. Place ensuite 1 rocaille sur chaque fil , ajoute sur le fil du haut 1 facette, 1 rocaille et croise les fils dans 1 facette.

2. Enfile sur chaque fil 1 rocaille, 1 olive, 1 rocaille. Repasse le fil dans l'olive. Refais ce montage jusqu'au placement des 17 olives sur chaque fil. Ajoute 1 rocaille sur chaque fil, puis croise-les dans 1 facette. Tisse le reste de tes facettes comme dans l'étape 1. Termine par 2 rocailles de chaque côté, passe les 2 fils ensemble dans le second cache-nœud et monte ton attache (voir p. 7).

La bague

1. Centre sur ton fils 2 rocailles et ajoute de chaque côté 1 olive et 1 rocaille. Repasse chacun de tes fils dans l'olive et enfile encore 1 rocaille.

2. Selon le même principe que pour le bracelet, place sur chaque fil 7 olives entourées chacune de rocailles. Pour finir, croise les fils dans 2 rocailles. Tisse ton tour de doigt (voir p. 6). Fais les finitions (voir p. 7).

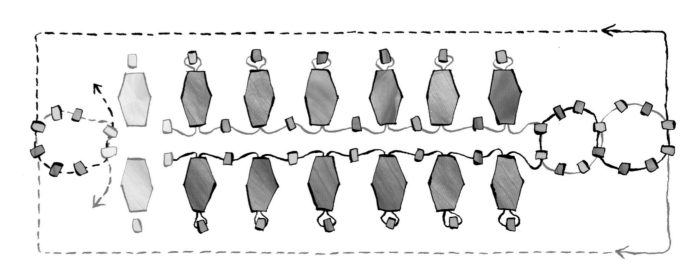

Fleurs de neige

Des fleurs blanches, tu en mettrais partout, c'est si joli et tellement fille…

La bague

1. Noue tes quatre fils ensemble et monte ton tour de doigt. Sépare tes fils en 2 et place 2 rocailles sur chaque lot de fils. Croise les quatre fils dans 1 facette. Continue ce montage jusqu'à obtenir la taille de ton doigt.

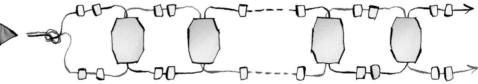

2. Attache ensemble tes quatre fils par plusieurs nœuds. Enfile une aiguille sur chaque lot de deux fils. Fixe la fleur en mousseline par plusieurs points en ajoutant quelques rocailles sur le dessus. Ressors tes fils par le dessous, noue-les et avance-les dans quelques perles avant de les couper.

Astuce : réalise d'abord la bague, elle est plus simple. Ensuite, tu feras plus facilement la barrette.

La barrette

1. Place 4 rocailles au centre de ton fil et croise une des extrémités du fil dans la première perle. Enfile 1 rocaille sur chaque fil et croise les fils dans 1 autre rocaille. Ajoute 3 rocailles sur ton fil de gauche et croise le fil de droite dans la dernière.

3. Refais le même montage qu'à l'étape 2, mais du haut vers le bas. Continue selon ce principe jusqu'à obtenir la longueur de ta barrette.

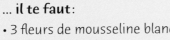

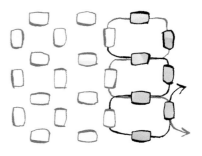

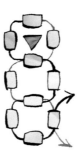

4. Passe chaque fil dans toutes les rocailles extérieures en ajoutant 1 rocaille entre chacune d'elles. Lorsque tes fils se rejoignent, noue-les et fais les finitions (voir p. 7). Passe un des fils de 15 cm dans les 4 rocailles du centre en les croisant dans la dernière rocaille. Fixe la première fleur de mousseline comme à l'étape 2 de la bague (p. 61). Répète ce montage pour les 2 autres fleurs. Pose une goutte de vernis à ongles sur tous les nœuds et, lorsqu'il est sec, coupe les fils. Colle l'ensemble sur la barrette en le maintenant quelques instants.

2. Mets 3 rocailles sur le fil du bas, et croise l'autre fil dans la dernière. Enfile 2 rocailles sur le fil de droite, traverse avec ton fil gauche la rocaille du centre et croise-le dans la deuxième rocaille. Passe ton fil gauche dans la rocaille du milieu, ajoute 2 rocailles et croise l'autre fil dans la deuxième rocaille.

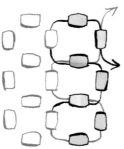

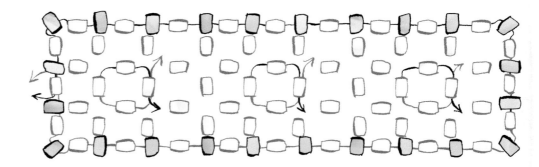

N° de projet : 11001632
Achevé d'imprimer en décembre 2005 par Clerc s.a.s. (France)
Relié par Brun s.a. (France)